MW00888419

Título original: O pito cairo

Colección libros para soñar®

Rúa de Pastor Díaz, n.º 1, 4º A - 36001 Pontevedra
Telf.: 986 860 276
editora@kalandraka.com
www.kalandraka.com

Impreso en Gráficas Anduriña, Poio
Primera edición: diciembre, 2000
Tercera edición: mayo, 2014
ISBN: 978-84-8464-047-9
DL: PO-574-00

El pollito pelado

Cuento popular portugués
adaptado por Marisa Núñez

Ilustraciones de Helle Thomassen

Kalandraka

Érase una vez un pollito pelado
que andaba por el monte
buscando comida y fortuna.

Un día, escarbando en la tierra,
encontró una bolsa
llena de monedas de oro.

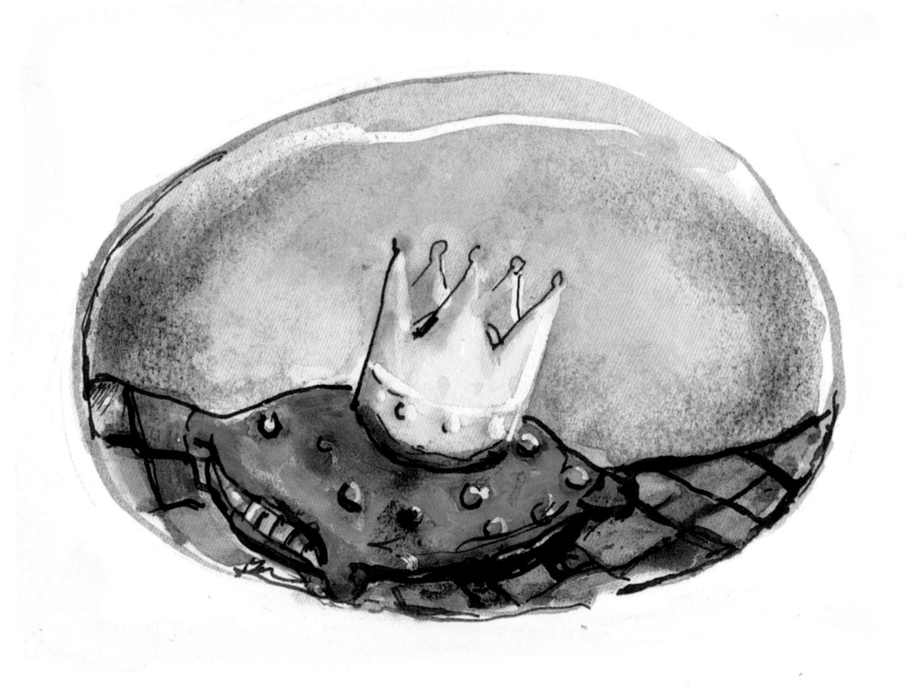

Asombrado con tanta riqueza,
pensó:

«Se las llevaré al rey».

Con la bolsa a cuestas,
y muy animado,
echó a andar por el camino real.

Al poco rato,
el pollito pelado llegó a un río
y, como no podía atravesarlo,
gritó:

–¡Apártate, río, que quiero pasar!

Pero el río continuó corriendo
como si nada.

Así que el pollito
se bebió toda el agua,
y siguió andando.

Más adelante, el pollito pelado
se encontró a una lechuza tumbada en el suelo
y gritó:

–¡Vuela, lechuza, que quiero pasar!

Pero la lechuza no movió ni una pestaña.

Así que el pollito
se la tragó de un bocado, y siguió andando.

Poco después,
el pollito pelado
encontró un pino enorme
en mitad del camino,
y gritó:

–¡Quítate, pino, que quiero pasar!

Pero el pino
se quedó plantado.

Así que el pollito
se lo engulló entero,
y siguió andando.

Enseguida, el pollito se encontró con un zorro, que se había echado en medio del sendero, y gritó:

–¡Largo de aquí, zorro, que quiero pasar!

Pero el zorro no le hizo ni caso.

Así que el pollito pelado se lo zampó, y siguió andando.

Por fin,
el pollito pelado llegó al palacio real,
con la bolsa de monedas llena
y la barriga todavía más llena.

Llamó a la puerta,
hizo una reverencia
y le entregó el oro a su majestad el rey.

El rey, que era un tacaño, contó las monedas
mirando al pollito de reojo,
y pensó que sería una pena no aprovecharlo
para darse un buen banquete.

Lo invitó a quedarse en el palacio
y, con mucha cortesía,
mandó a los criados que lo acompañasen al gallinero.

El pollito pelado
se olió que aquello era una trampa
y, tan pancho, empezó a cantar:

–¡Qui - qui - ri - quí,
que mis monedas las quiero aquí!

Y como abrió tanto el pico,
el zorro salió de un brinco
y se comió todas las gallinas
en menos que canta un gallo.

El rey, echando chispas,
ordenó que encerrasen al pollito en el aparador.

–¡Qui - qui - ri - quíí,

que mis monedas las quiero aquíí!

–volvió a cantar el pollito pelado.

Y como abrió el pico aún más,
el pino salió de golpe,

y la vajilla cayó al suelo
y se partió en mil pedazos.

El rey, furioso, se puso a gritar y ordenó que metiesen al pollito en la olla del aceite.

El pollito pelado sacó la cabeza
y cantó más fuerte todavía:

–¡Qui - qui - ri - quííí,
que mis monedas las quiero aquííí!

Y como abrió tantísimo el pico,
la lechuza salió levantando el vuelo,
se bebió el aceite y dejó la olla seca.

El rey estaba tan rabioso
que echaba humo por las orejas.

Así que decidió comerse al pollo
sin más demora.

Y mandó encender el horno
para asarlo con plumas y todo.

Entonces, el pollito pelado cantó con todas sus fuerzas:

–¡Qui - qui - ri - quiííí,
que mis monedas las quiero aquííí!

Y como tenía el pico abierto de par en par,
le salió por la garganta un chorretón de agua
que apagó las brasas del horno.

Después, el agua empezó a burbujear
y a correr por la cocina,
por los pasillos
y por todo el palacio.

El rey, que era un cagueta,
tuvo miedo de morir ahogado
y fue a devolverle las monedas
al pollito a toda prisa
para que desapareciese de una vez.

Felices y contentos,
el pollito pelado, el zorro y la lechuza
cogieron las monedas de oro,
se montaron en el pino a caballito
y se fueron, los tres juntos, río abajo.

Y bogaron por el mundo, tan felices,
hasta el día en que el pino echó raíces.